Pocahontas
Petite Princesse indienne

Une petite troupe de colons anglais arriva par bateau en vue de la côte. Quand le navire fut à l'ancre, les colons débarquèrent sur cette terre inexplorée et s'enfoncèrent dans la forêt en se frayant un chemin à grand peine à travers étangs et marécages. Ils avaient quitté la colonie de Jamestown, ravagée par la malaria, et cherchaient un lieu plus salubre où s'installer.

« Rien que des arbres, des arbres et de la boue, murmura, épuisé, l'un des hommes, jamais nous ne sortirons de cet enfer...

— Chut ! lui intima John Smith, un homme grand et blond qui guidait le groupe. Nous sommes sur le territoire du chef Powhaton, dit-il à voix basse, il faut être prudents, ne nous faisons pas remarquer et éloignons-nous le plus vite possible. On m'a dit qu'il n'appréciait pas les visites et... »

John Smith n'avait pas fini sa phrase que ses hommes et lui se trouvèrent soudain encerclés par une multitude d'Indiens.

Après avoir été faits prisonniers, les hommes blancs furent conduits dans un village au cœur de la forêt et amenés devant Powhaton. Le chef indien était assis sur un trône richement orné de peaux. Il portait une somptueuse coiffe de plumes multicolores, des peintures sur le visage, et son regard féroce ne laissait rien augurer de bon. Smith et les colons le fixèrent avec effroi.

« Étrangers ! s'exclama durement Powhaton, pour avoir envahi notre terre et détruit nos champs, vous méritez une punition exemplaire. »

Un lourd silence s'abattit sur le village. Les colons terrorisés se taisaient et les Indiens eux-mêmes retenaient leur respiration en attendant la décision de Powhaton.

« C'est lui leur chef, s'exclama l'Indien en indiquant Smith, et c'est sa tête que l'on coupera. »

L'Anglais fut saisi et on le fit s'agenouiller devant un billot : son destin semblait désormais fixé quand l'exécution fut soudain interrompue par une très belle jeune fille aux longues tresses et aux grands yeux noirs de gazelle.

« Arrêtez ! cria-t-elle d'une voix douce mais ferme. Père, continua la jeune femme en se tournant vers Powhaton, si nous tuons cet homme, d'autres viendront le venger et beaucoup d'entre nous périront. Les Blancs ont des armes dangereuses, de longs bâtons qui crachent du feu et frappent là où nos flèches sont inoffensives. Mieux vaut les avoir pour amis que pour ennemis, essayons de nous entendre avec eux. »

Le chef indien regarda avec orgueil Pocahontas, sa belle et sage fille, et comprit qu'elle avait raison. Les Blancs s'égaraient peut-être dans la forêt, mais ils étaient nombreux et leurs armes fort dangereuses.

« Ma fille a parlé avec une grande sagesse, s'exclama Powhaton, je vous rends votre liberté, hommes blancs, et j'espère que mon geste marquera le début d'une ère de paix entre nos peuples.

— Je te remercie, oh noble chef, et je te promets, ainsi qu'au nom des miens, une éternelle amitié, dit John Smith et, posant la main droite sur son cœur, il conclut : je jure sur mon honneur de ne jamais trahir cette promesse. »

Dès ce jour, les rapports entre colons et Indiens changèrent. Ces derniers se rendaient de plus en plus souvent au marché de Jamestown avec des peaux, des fourrures, du maïs et d'autres produits qu'ils troquaient contre les marchandises des hommes blancs : tissus, objets en bois et en verre. Pocahontas apporta aussi les superbes nattes colorées qu'elle tressait elle-même.

Un jour, les Indiens et leur jeune princesse attirèrent l'attention des habitants de Jamestown. Ils se promenaient en ville en tenant entre leurs lèvres de minces petits rouleaux de feuilles... allumées. Et, à voir leur air satisfait, il s'agissait sûrement d'un passe-temps fort agréable.

« Qu'avez-vous dans la bouche ? »

« Pourquoi soufflez-vous de la fumée ? »

« Pourquoi ? Pourquoi ? »

Les questions fusaient, tout le monde voulait savoir.

Les Indiens expliquèrent qu'à l'intérieur des feuilles se trouvaient des herbes qu'ils cultivaient eux-mêmes et faisaient ensuite sécher.

« Aspirer leur fumée, dirent-ils, nous aide à nous détendre et, parfois, à calmer nos douleurs...

— Vraiment ?! »

Les hommes blancs se montrèrent tous plutôt sceptiques, sauf un : John Rolfe, un beau jeune homme attiré par la nouveauté, comme tous les jeunes gens. Sans plus attendre, il décida d'essayer et prit la feuille allumée que lui tendait Pocahontas.

L'air sûr de lui, le jeune homme aspira profondément la fumée.

« Sapristi... je suffoque...

Le pauvre John était en proie à une terrible quinte de toux.

— Tu ne dois pas avaler la fumée, lui expliqua en riant la jeune princesse, tu dois la retenir une seconde dans la bouche et puis la faire sortir tout doucement par le nez. »

John Rolfe essaya à nouveau et se révéla un élève doué.

Inutile de dire que son exemple fut immédiatement suivi et que de nombreux colons de Jamestown se consacrèrent... au plaisir de fumer. Seul le père Robert ne semblait pas apprécier cette nouveauté, car ce moine veillait non seulement à la santé spirituelle des colons mais aussi à leur santé physique. Le père Robert avait en fait quelques connaissances rudimentaires de la médecine.

« Ce feu est l'œuvre du démon ! », hurlait-il dès qu'il voyait une de ses « brebis » avec une feuille allumée à la bouche.

Cette manie stupide qui semblait avoir gagné de nombreuses personnes de bon sens l'irritait énormément.

Un jour, le père Robert fut pris d'un terrible mal de dents et aucun des remèdes qu'il connaissait ne parvenait à le calmer. John Rolfe, inquiet, en parla à Pocahontas.

« Si tu veux, nous pouvons essayer de le guérir avec nos herbes, proposa la jeune fille.

— Il refusera. Pour lui, la fumée est l'œuvre du diable ! Le jeune homme éclata de rire. Tu ne sais pas à quel point ce moine peut être entêté.

— Essayons tout de même. »

Le père Robert, épuisé par la souffrance et ému de l'intérêt que lui portait la jeune fille, accepta de fumer à contrecœur. Après quelques bouffées, le père Robert, incrédule, eut l'impression que la douleur était moins forte. Il se mit alors à réciter une série de prières pour remercier le bon Dieu, la bonne fortune, ou qui sait, pour apaiser sa conscience. La fumée était-elle ou non démoniaque ? A ce stade, le pauvre homme ne savait plus que penser.

« Quelles formules marmonne-t-il ? demanda Pocahontas à John. Vous aussi vous avez des rites magiques ?

— Le père Robert prie et adresse ses prières à notre Dieu.

L'Indienne eut l'air stupéfait.

— Vous n'avez qu'un seul dieu ? Nous, nous en avons beaucoup, comment peut-on n'en adorer qu'un seul ? »

Le bon père avait une oreille très fine et, bien que les deux jeunes gens aient parlé à voix basse, il n'avait rien perdu de leur conversation. Comment laisser passer une si belle occasion de ramener une nouvelle brebis dans son troupeau ? Le père Robert fut si convaincant qu'il persuada facilement Pocahontas de se convertir à la religion chrétienne.

Le père était fort satisfait et la faiblesse dont il avait fait preuve en acceptant de fumer lui semblait un bien petit péché.

Ce ne fut toutefois pas l'unique nouveauté de cette période. John Rolfe était tombé éperdument amoureux de la belle princesse et lui demanda de l'épouser, ce que la jeune fille accepta avec joie.

Le mariage des deux jeunes gens rapprocha encore les deux peuples.

Le temps s'écoulait tranquillement à Jamestown, lorsqu'un beau jour John Rolfe fit une proposition aux autres colons.

« Ces herbes ont eu un grand succès parmi nous, apprenons donc à les cultiver et envoyons-les en Angleterre pour les faire connaître à notre peuple. »

La proposition fut accueillie favorablement et, grâce aux conseils et à l'aide de Powhaton et de ses hommes, le territoire alentour se recouvrit bien vite de cultures de ces extraordinaires petites plantes. Après la première récolte, John fit sécher une certaine quantité de feuilles qu'il envoya personnellement au roi Jacques Ier par le premier bateau en partance pour l'Angleterre.

Ces « herbes sèches » furent tout d'abord peu appréciées à la cour. Mais, lorsque le médecin personnel du roi eut par hasard quelques feuilles entre les mains, il les reconnut aussitôt.

« C'est la plante que l'ambassadeur Jean Nicot s'est procurée en Espagne pour guérir le mal de tête de la reine de France, s'exclama-t-il tout excité, ils l'appellent désormais « l'herbe de la reine » et les Espagnols l'ont baptisée « tabac ». Le médecin poursuivit d'un ton enflammé : Majesté, croyez-moi, cette plante vaut une fortune et vous pouvez maintenant en avoir des plantations entières dans vos colonies. »

Les rois aussi savent « flairer » une bonne affaire, et le tabac fit ainsi fortuitement son entrée dans le Vieux Monde.

Maintenant qu'ils pouvaient l'obtenir à un prix plus accessible, médecins et spécialistes en voulaient des quantités toujours plus grandes. Cependant, à l'époque déjà, certains médecins mettaient en garde contre les dangers du tabac, qui pouvait provoquer des maladies et ne pas les guérir. Mais, la mode de fumer et de priser du tabac se propagea : aristocrates et bourgeois, hommes et femmes, beaucoup la suivirent.

Les demandes de tabac aux colonies se firent de plus en plus fréquentes et importantes, et le jeune Rolfe se retrouva bientôt à la tête d'une fortune.

La nostalgie de sa lointaine patrie et le désir de la faire connaître à Pocahontas, poussèrent John à affronter le dur voyage vers l'Angleterre.

Durant toute la traversée, la jeune Indienne abreuva son mari de questions.

« Votre roi porte-t-il aussi un diadème de plumes ? Comment est sa maison ? Grande ? Très grande ? La reine est-elle belle ?

John Rolfe souriait à toutes ces questions.

— Tu verras, tu jugeras par toi-même. »

Les deux jeunes gens débarquèrent à Greenwich, où une foule immense les attendait. Le maire de la ville était venu les accueillir en personne, mais leur fit surtout part d'une invitation : le roi voulait recevoir John Rolfe et Pocahontas à la cour.

Quelques jours plus tard, les courtisans réunis dans la salle d'audience au palais royal de Londres, virent arriver deux jeunes gens : l'un de haute taille et de belle prestance, l'autre mince et brune avec de grands yeux de gazelle. Leurs vêtements simples ne faisaient pas piètre figure parmi les velours, les soies et les bijoux des invités ; leur beauté et leur bonheur évident suffisaient à les rendre spéciaux et dignes d'être reçus par le roi.

Ainsi finit l'histoire de Pocahontas, la gentille princesse, et de Rolfe, le jeune colon entreprenant.

Mais l'histoire du tabac et de la fumée n'est certes pas terminée. Encore aujourd'hui, comme à l'époque, c'est une mode suivie par beaucoup, mais de plus en plus discutée. Il est maintenant admis que la fumée fait du mal, beaucoup de mal.

En somme, le père Robert n'avait pas tout à fait tort !

FIN